Ce livre contient une sélection d'histoires, de comptines et les histoires
préférées de Richard Scarry issues de la collection « Les Golden Books ».
Son contenu très riche en vocabulaire recouvre des thèmes aussi variés que :
les chiffres, les couleurs, les véhicules, des histoires drôles et de nombreux
animaux, présentés de façon ludique et éducative.

Toutes les histoires sont de Richard Scarry, sauf indication contraire.

Pour l'édition originale publiée par Random House Children's Books,
un département de Random House, Inc., 1745 Broadway, New York,
NY 10019, États-Unis et parue sous le titre *Richard Scarry's Best Storybook Ever*
sous la marque A Golden Books ® :
© 1968, Random House, Inc.
Les ©1966 Richard Scarry ont été renouvelés par Patricia Scarry et Richard
Scarry en 1994 et les ©1967 Richard Scarry ont été renouvelés par Patricia
Scarry et Richard Scarry en 1995.

Pour la présente édition, publiée avec l'accord de Random House Children's
Books, un département de Random House, Inc., et adaptée de l'anglais
(États-Unis) par Françoise de Guibert :
© 2013, Albin Michel Jeunesse, 22, rue Huyghens, 75014 Paris
blog : albinmicheljeunesse.blogspot.fr
Loi n° 49-956 du 16 juillet 1949 sur les publications destinées à la jeunesse
Dépôt légal : second semestre 2013
N° d'édition : 20661 – ISBN-13 : 978-2-226-24744-5
Imprimé et relié en France chez Pollina s.a. - L65734

mon TréSor d'HisTOireS du SoiR

de Richard Scarry

Albin
Michel
Jeunesse

Sommaire

Le chat qui pêche

de Patricia Scarry

Un matin, un chat partit à la pêche.
Il voulait attraper une baleine.

Réussit-il à prendre une grosse baleine?

Non, il n'attrapa
qu'un gros tronc
d'arbre !

Est-ce qu'il remit le tronc à la mer ?

Non, il sortit son couteau et tailla le bois, ici et là.
Mais pourquoi fit-il tout ça ?

Pour construire
un bateau de pêche.

Attention à vous, les baleines !

Je suis un lapin

de Ole Risom

Je m'appelle Nicolas.
Je suis un lapin
et je vis dans un tronc d'arbre.

Au printemps, j'aime cueillir des fleurs.

L'été, je m'allonge
dans l'herbe
et j'observe les insectes.

À l'automne, j'admire les feuilles
qui tombent des arbres.

L'hiver venu, je contemple les flocons de neige
qui voltigent dans le ciel…

... et je me blottis dans mon terrier pour rêver du printemps.

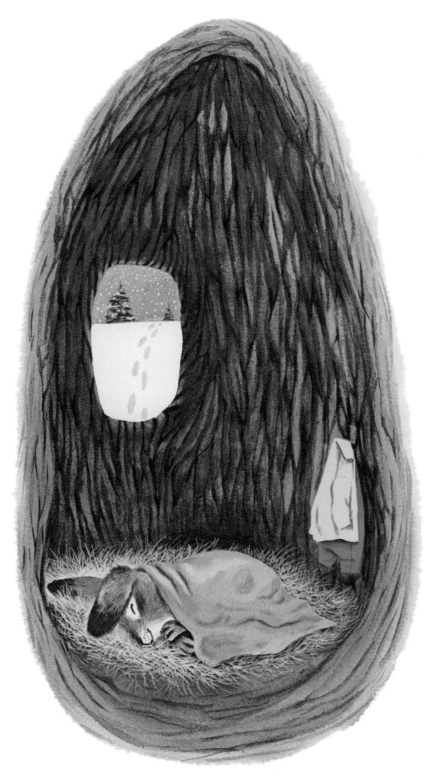

Le cochon fermier

Le fermier plante une graine
de maïs dans la terre.

La pluie arrose la graine,
qui commence à pousser.

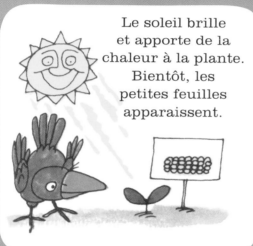

Le soleil brille
et apporte de la
chaleur à la plante.
Bientôt, les
petites feuilles
apparaissent.

La plante grandit,
grandit jusqu'à porter
trois épis bons à picorer.

Le fermier en donne un au
corbeau. Un autre à sa femme,
qui est très gourmande.

Et, à l'aide d'un couteau, il fait
une pipe avec le dernier épi.
N'est-ce pas merveilleux, tout
ce que l'on peut faire à partir
d'une toute petite graine !

un ver

un oiseau

un abri à oiseaux

Les fleurs du jardin

Monsieur et Madame Lapin
soignent les fleurs de leur jardin.
Ils les arrosent afin qu'elles grandissent bien.
Connais-tu toutes ces fleurs ?
Quelle est ta préférée ?

des rudbeckias

une rose

un chardon

des marguerites

une pousse

une abeille

une orchidée

des tulipes

un bouton-d'or

du trèfle

une graine

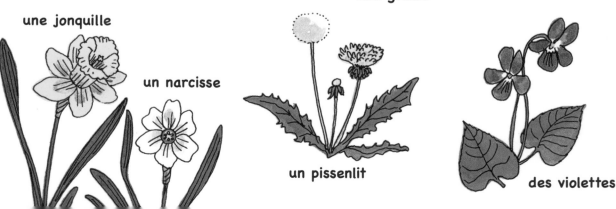

une jonquille

un narcisse

un pissenlit

des violettes

22

du liseron

un zinnia

une rose trémière

une digitale

des campanules

un œillet

des soucis

de l'insecticide

une jacinthe des prés

un œillet de poète

un pétunia

des pensées

un arrosoir

une coccinelle

une corbeille à fleurs

un transplantoir

du muguet

des pots

un griffoir

Le chien et son os

de Patricia Scarry

Un petit chien court à la rivière. Il tient un gros os
dans la gueule et il est bien décidé à se régaler tranquille.
En marchant sur le tronc qui enjambe la rivière, il voit
son reflet dans l'eau. Il s'imagine qu'un autre chien est là…
avec un os dans la gueule lui aussi.
« Mmmm, je vais avoir deux gros os pour moi tout seul ! »
se dit le gourmand.
Il grogne et ouvre la gueule pour mordre l'autre chien. PLOUF !
Son os tombe dans l'eau… et ZIOUP ! lui aussi.
Le petit chien est tout mouillé et n'a plus d'os à ronger.
À se montrer trop gourmand, on n'a plus rien
à se mettre sous la dent !

Bonne nuit, Petit Ours

de Patricia Scarry

« Il est temps d'aller au lit, Petit Ours ! »
Maman Ours referme le livre d'histoires
et fait un gros baiser à son ourson.

Ensuite, Petit Ours
court vers son gros
Papa Ours.

Zouuuuuu !

Papa Ours fait voler Petit Ours dans les airs
et l'installe sur ses épaules.

« Attention à la tête ! » prévient Maman Ours juste à temps.
Et Papa Ours galope vers la petite chambre douillette.

Criiii, le petit lit grince quand
Papa Ours s'assied dessus.
« Allez, je me couche avec toi », dit-il.
Et il attend que Petit Ours descende.
Mais Petit Ours ne bouge pas.
Il reste assis sur les épaules
de son papa en riant doucement.
Papa Ours attend patiemment.
Il a un grand bâillement d'ours.
Est-ce qu'il s'est endormi ?
Non, il ouvre les yeux dans un sursaut.

« Ça alors, j'ai dû faire un rêve »,
déclare Papa Ours en s'étirant.
Mais où est donc Petit Ours ?
Pas de tête toute douce sur l'oreiller.
Sous l'oreiller, peut-être ?
Papa Ours regarde. Personne.
On dirait qu'il ne sent pas la petite patte
qui chatouille son oreille.

« Ah ah, il y a une bosse sous la couverture ! »
Papa Ours tapote la bosse.
Mais personne ne se met à rire ou à gigoter.
Est-ce bien Petit Ours ?

Mais non, ce sont le nounours et le lapin bleu,
qui attendent que Petit Ours vienne au lit !

« Ce coquin d'ourson s'est caché, annonce
Papa Ours à Maman Ours avec un clin d'œil.
– Il est peut-être sous le poêle de la cuisine »,
répond Maman Ours, qui aime beaucoup
les farces.

Bing, bang !
Papa Ours entrechoque les casseroles.
« Attention, Petit Ours, j'arrive! » grogne-
t-il de sa grosse voix d'ours.

Il regarde sous le poêle et sent quelque chose
de doux qui se cache dessous.
Est-ce bien Petit Ours ?

Mais non, c'est juste une des vieilles moufles de Papa Ours !

Petit Ours met ses pattes devant sa bouche
pour ne pas rire, mais...
« Tiens, j'ai entendu rire ce coquin d'ourson,
dit Papa Ours. Il ne doit pas être loin... »

« Derrière la porte de l'entrée, sûrement,
se dit Papa Ours. Je vais tourner la poignée
tout doucement et ouvrir la porte d'un seul coup,
pour le surprendre ! »
Mais non, pas d'ourson derrière la porte.
Seulement une famille de lapins dodus
qui grignotent les salades du jardin.
« Pschiiiiiii ! » souffle Papa Ours.

« Il se cache peut-être dans le coffre à bois,
chuchote Maman Ours. Vas-y sur la pointe
des pattes, tu pourras l'attraper. »
Couic !
Il n'y a là qu'un minuscule souriceau.

Personne non plus là-haut, sur le buffet du salon.
« Ouille ! » Petit Ours s'est cogné la tête.
« Quelqu'un a dit "ouille" ! s'exclame Papa Ours.
Qui a dit "ouille" ?
– Pas moi, répond Maman Ours, qui s'amuse beaucoup.

– Bon, où peut bien être ce coquin d'ourson ?
Il ne peut pas être parti… Pas ce gourmand
qui adore le gâteau au chocolat… »
Et le gros Papa Ours se sert une énorme part de gâteau
au chocolat, juste sous le museau de Petit Ours.

Petit Ours a tout à coup très faim.
Et à ce moment, Papa Ours s'arrête devant le miroir.
« Il est là ! grogne-t-il de sa grosse voix d'ours.
– Tu m'as cherché dans toute la maison ! »
dit Petit Ours de sa toute petite voix d'ourson.
Et il attrape la part de gâteau.

Ziouuuuu ! Il descend des épaules de son papa,
saute sur le canapé.
Boïng ! Boïng ! Boïng !
« Tu as vu, Maman, j'étais bien caché, hein ?
Personne ne pouvait me trouver ! »

« Mais je t'ai trouvé, maintenant », dit Papa Ours.
Il emporte son ourson sous le bras, et Petit Ours
gigote en riant jusqu'à son lit.

« Dis, Papa, tu ne savais vraiment pas où j'étais ? »
demande Petit Ours.
Mais au lieu de répondre, Papa Ours rit
et lui fait un clin d'œil.

Qu'en penses-tu? Crois-tu qu'il le savait?

Pip Pip
va à Londres

Pip Pip le chat se rend à Londres
pour y trouver gloire et fortune
au service de la reine.

Il va d'abord à la
Tour de Londres et
demande
à être hallebardier
pour veiller sur
les joyaux
de la couronne.
Mais non !
Les hallebardiers
sont au complet.

Devant le palais
de la reine, le garde
refuse de lui parler.
Il est sans doute
trop occupé.

Au ministère de la Marine,
où l'on protège la flotte royale,
Pip Pip manque de se faire
écraser et il préfère s'enfuir.

Pip Pip le chat est triste. Il n'est pas capable d'entrer
au service de la reine. « La reine doit être triste, elle aussi,
d'avoir perdu sa bague », se dit Pip Pip.

COURAGE !

Les Nouvelles

Les Nouvelles

La bague
de la reine
disparaît

Pip Pip passe près d'une fontaine remplie de pièces que les gens ont jetées en faisant un vœu. Il voit dans l'eau quelque chose qui ne ressemble pas à une pièce. Quelque chose qui brille ! De l'or !

C'est une bague !
C'est peut-être la bague royale ?!
Pip Pip la montre à un policier.
Et ensemble, ils courent au palais.
C'est bien la bague de la reine.

Celle-ci est si heureuse de l'avoir retrouvée qu'elle nomme Pip Pip « Gardien des fontaines royales ». Tous les jours, il ramasse les pièces de monnaie. Avec cet argent, la reine donne à manger aux pauvres chats qui vivent dans les ruelles. N'est-ce pas là une bonne reine ?

Une histoire de queues

Cochon n'aime pas sa queue.
Il préférerait avoir une queue
comme celle du renard...

Non ! Une queue de renard serait
trop touffue pour un cochon !

Si seulement il pouvait avoir une
queue comme celle de la vache...

Non, bien sûr !
Trop longue pour un cochon.

Pourquoi pas une queue
comme celle du crocodile ?

Non ! Non ! Et non ! Une queue de
crocodile sur un cochon serait trop
ridicule. Sa queue en tire-bouchon est
finalement parfaite pour un cochon !

Le cadeau de Noël
de Monsieur Hérisson

de Kathryn Jackson

La ville de Londres était encore plus belle que Monsieur
Hérisson ne l'avait imaginée. Toutes les boutiques étaient
richement décorées et brillaient de mille feux.

Même les souris portaient des paquets et avaient
un « Joyeux Noël » au bord des lèvres.
« J'aimerais bien offrir un cadeau à Madame
Hérisson ! » pensait Monsieur Hérisson.
Que pourrait-il lui offrir ?
Pas un manteau de fourrure. Madame Hérisson
en avait déjà un qui lui allait très bien.

Pas une tiare en diamants. Ce serait trop lourd
et risquerait de lui faire mal à la tête.
Sûrement pas un flacon de parfum. Les hérissons
aiment l'odeur des fougères et de l'aubépine.
Soudain, les yeux de Monsieur Hérisson se posèrent
sur quelque chose de tout à fait charmant.
Une pomme rouge était là, dans la neige blanche,
une pomme perdue et oubliée.

Monsieur Hérisson prit la pomme, la nettoya
et la fit briller avec ses moufles. Solennellement,
il l'offrit à sa femme en disant : « Joyeux Noël,
ma chérie ! »
Madame Hérisson l'embrassa. « Merci ! Je vais faire
une délicieuse pomme au four ce soir. »
Les petits hérissons se léchèrent les babines
et crièrent en chœur : « Joyeux Noël ! »

Et, bras dessus, bras dessous, la famille Hérisson
se dépêcha de rentrer à la maison pour y sentir
bientôt l'exquise odeur de pomme et de cannelle.
La meilleure odeur de Noël !

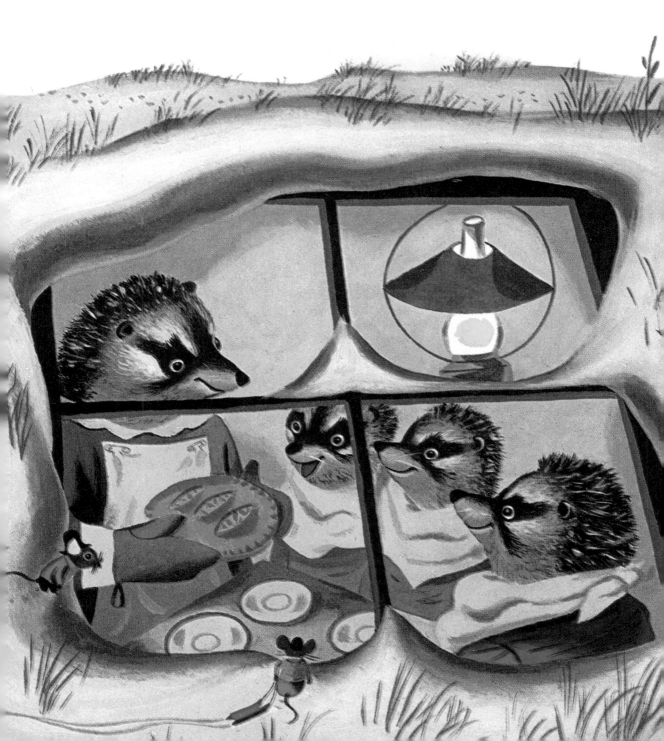

Dis-le-moi à l'oreille

Un jour, l'éléphant rend visite à la souris.
« Je suis trop gros pour entrer chez toi, dit-il. Pourrais-tu me dire comment ta maison est décorée?
– D'accord, mais ne fais pas de bruit, répond Madame Souris. Si tu me soulèves avec ta trompe, alors je te le dirai à l'oreille… »

1 un

« Dans ma maison, j'ai **un** très gentil mari, dit Madame Souris. Il m'aide à faire le ménage et la cuisine. »

Voilà Monsieur Souris.
Est-il en train de faire le ménage ou la cuisine ?

2 deux

« Dans ma cuisine, j'ai **deux** casseroles. La petite casserole est pour la viande, la grande, pour les légumes.
– Mmm, cela me donne faim », soupire l'éléphant.

Voilà les deux casseroles pour cuisiner la viande et les légumes. Monsieur Souris vérifie si les légumes sont cuits.

3 trois

« Combien de lits y a-t-il dans ta maison ?
demande l'éléphant.
– J'ai **trois** lits… » chuchote Madame Souris.

un

deux

trois

Voilà Monsieur Souris
en retard pour faire son lit !

4 quatre

« J'ai **quatre** pendules
pour donner l'heure,
se réjouit Madame
Souris. Le coucou est
ma pendule préférée. »

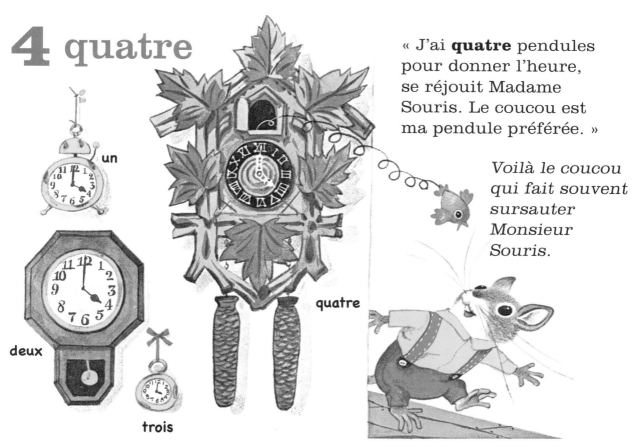

un

deux

trois

quatre

Voilà le coucou
qui fait souvent
sursauter
Monsieur
Souris.

5 cinq

« Quand le soir tombe, j'allume **cinq** lampes qui éclairent agréablement ma maison », dit Madame Souris.

Voilà Monsieur Souris qui époussette les cinq lampes.

6 six

« Dans ma maison, j'ai encore **six** sièges. Certains sont confortables, d'autres un peu durs. »

Voilà Monsieur Souris qui lit le journal dans son fauteuil préféré.

7 sept

« J'ai **sept** chapeaux très jolis », ajoute Madame Souris dans l'oreille de l'éléphant.

trois

quatre

deux

cinq

un

sept

six

Voilà Monsieur Souris qui essaie un des chapeaux de sa femme.

8 huit

« J'aime que notre maison soit proprette. Et j'ai **huit** balais bien utiles pour le ménage. »

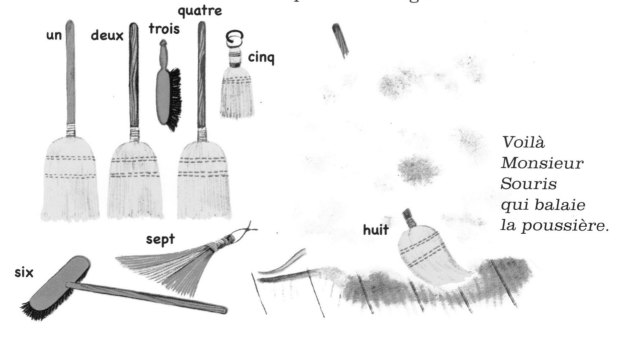

quatre

un   deux   trois

cinq

Voilà Monsieur Souris qui balaie la poussière.

huit

sept

six

« Pour que ma maison soit belle, murmure Madame Souris, j'ai **neuf** plantes, que j'arrose souvent. »

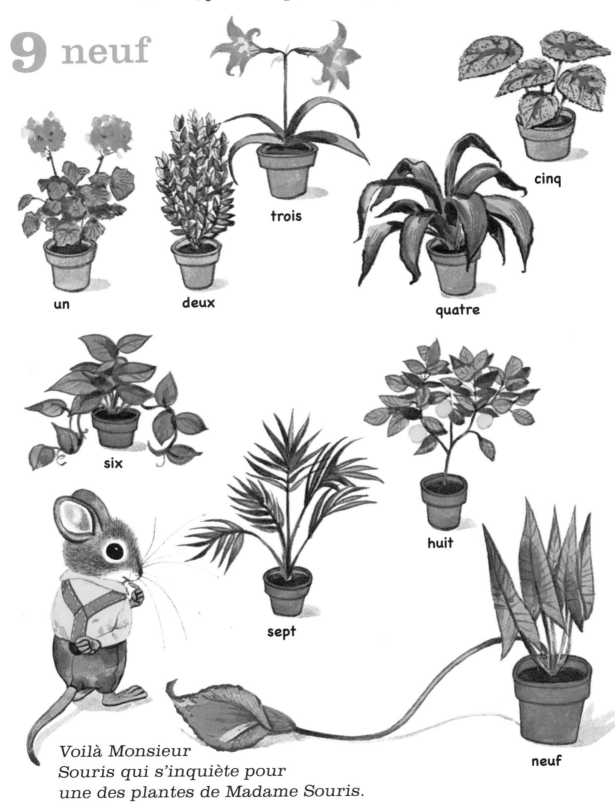

9 neuf

un

deux

trois

quatre

cinq

six

sept

huit

neuf

Voilà Monsieur Souris qui s'inquiète pour une des plantes de Madame Souris.

10 dix

« Enfin, j'ai **dix** livres que j'aime lire, souffle Madame Souris.
– Et comment s'appellent-ils ? » demande l'éléphant.

La cuisine au fromage

un

Contes de fées

deux

Les bonnes MANIÈRES

trois

MES AMIS LES ANIMAUX

quatre

Souris des villes, souris des champs

cinq

Mon ABC

six

Les chiffres 123

sept

DICTIONNAIRE

huit

Ma mère l'Oie

neuf

dix

Devenez ami avec les chats

Voilà Monsieur Souris qui lit un livre passionnant. Mais de quoi parle-t-il ?

11 onze

« J'ai aussi **onze** magnifiques tableaux au mur », dit tout bas Madame Souris.

« Tu as vraiment une jolie maison, dit l'éléphant. Mais pourquoi dois-tu chuchoter dans mon oreille ?
– Oh, mais c'est parce que j'ai aussi **douze** petits souriceaux qui sont en train de faire la sieste ! »

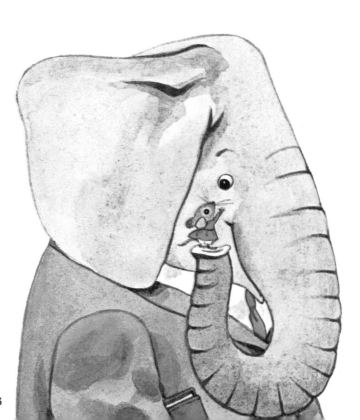

12 douze

un · deux · trois · quatre · cinq · six · sept · huit · neuf · dix · onze · douze

Voilà les douze souriceaux de Monsieur
et Madame Souris. Peux-tu les compter?
Est-ce qu'ils dorment? Alors tu pourrais
peut-être dire à l'oreille de Madame
Souris que la sieste est finie!

Merci!

Un château au Danemark

Voici quelques règles à respecter si tu vis dans un château, ou même dans une maison.

Ne cours pas dans les couloirs.

Tiens-toi bien à table.

Essuie tes pieds boueux avant d'entrer.

Devant le roi et la reine, incline-toi ou fais la révérence.

Ne te penche p[as] par la fenêtre, tu risques de tomber.

Donne à manger au dragon s'il a faim.

Sois sage. Les enfants désobéissants sont enfermés dans le donjon.

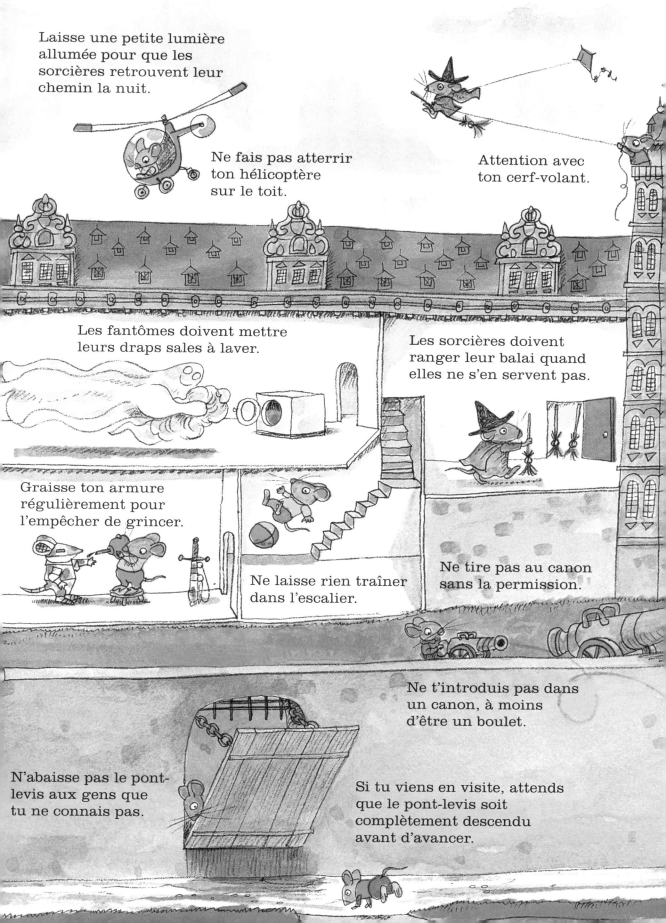

Laisse une petite lumière allumée pour que les sorcières retrouvent leur chemin la nuit.

Ne fais pas atterrir ton hélicoptère sur le toit.

Attention avec ton cerf-volant.

Les fantômes doivent mettre leurs draps sales à laver.

Les sorcières doivent ranger leur balai quand elles ne s'en servent pas.

Graisse ton armure régulièrement pour l'empêcher de grincer.

Ne laisse rien traîner dans l'escalier.

Ne tire pas au canon sans la permission.

Ne t'introduis pas dans un canon, à moins d'être un boulet.

N'abaisse pas le pont-levis aux gens que tu ne connais pas.

Si tu viens en visite, attends que le pont-levis soit complètement descendu avant d'avancer.

Le Renard
et la dame Corbeau

une fable racontée par Patricia Scarry

Dame Corbeau était assise sur un arbre
et tenait dans son bec un morceau de fromage.
Un phacochère affamé s'approcha.

« Dame Corbeau rira sûrement en voyant ma tête,
pensa-t-il. Et elle laissera tomber le fromage. »
Il appela dame Corbeau, fit une drôle de grimace,
mais elle ne sourit même pas.

Un petit éléphant affamé s'approcha.
« Lance-moi ton fromage, dit l'éléphant,
ou je t'arrose ! »
Mais dame Corbeau ne lâcha pas son fromage,
même lorsque SSSShhhh ! la trompe de l'éléphant
envoya un grand jet d'eau.

« Donne-moi ce fromage, dit le gros ours brun,
et tu auras mon pot de miel. »
Mais dame Corbeau n'aimait pas le miel
et elle ne lâcha pas son fromage.

Dame Corbeau était sur le point d'avaler enfin son morceau
de fromage, quand le Renard malin s'approcha.
« Oh, belle corbelle, l'appela-t-il, tu es si douce à contempler...
Je parie qu'un oiseau avec de si belles plumes a un chant
sans pareil. Chante pour moi, je t'en prie ! »

Dame Corbeau n'avait jamais
entendu dire qu'elle était jolie
(même si elle en était convaincue).
Et on ne lui avait jamais parlé
de sa belle voix…
Elle ouvrit un large bec et poussa
un affreux CRRROOOAAA !
Le fromage tomba directement
dans la gueule du renard flatteur.
Dame Corbeau se dit alors qu'elle
avait eu bien tort d'écouter
ces flatteries !

Compte avec Ulul le Hibou

Ulul le Hibou et sa maman vont faire des courses.

Ils achètent **UN** morceau de fromage.

Ils achètent **DEUX** oranges

et **TROIS** pommes.

Maman Hibou prend aussi **QUATRE** œufs.

Quoi de mieux pour le dîner que ces **CINQ** oignons ?

SIX cornichons, peut-être ?

Ils se procurent **SEPT** saucisses chez le boucher.

Les voilà enfin rentrés, ils vont bientôt pouvoir dîner.

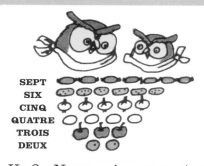

SEPT
SIX
CINQ
QUATRE
TROIS
DEUX

Un ? « Nous avions pourtant **UN** morceau de fromage… Où est-il passé ? » demande maman Hibou en souriant. On dirait bien qu'elle le sait, non ?

Couscous,
policier à Alger

Couscous était le meilleur policier d'Alger.
Il était particulièrement doué pour se déguiser
et prendre un suspect en filature.
Il était d'ailleurs déguisé quand il passa à côté du repaire
de Pépé le Gangster. Il cherchait un moyen de s'introduire
chez le voleur et de l'arrêter avec toute sa bande de rats.
Pouvez-vous reconnaître Couscous parmi la foule?
Non, bien sûr, Couscous
est tellement fort! Le policier eut
soudain une idée. Il retourna
rapidement au poste de police pour
consulter ses assistants. Il enleva
son déguisement et expliqua
son plan au chat et aux souris.
« C'est un plan génial,
Couscous! » le félicitèrent-ils.

RUE DE LA CASBAH

RUE SIDI-ABDALLAH

Cette nuit-là, dans le noir, un petit groupe se présenta
à la porte du repaire du voleur et frappa. Toc, toc, toc !

« Qui est là ? grogna Pépé le Gangster.

– Je suis la belle Fatima, répondit une voix douce.

Je viens danser pour vous, accompagnée de mes musiciens.

– Entrez, entrez ! » s'exclama Pépé en leur ouvrant la porte.

Comme la belle Fatima dansait avec grâce !

Elle était magnifique !

« Encore ! Encore ! criait Pépé.

– Je danserai encore, dit Fatima, mais j'ai d'abord
une surprise pour vous. Laissez-moi vous bander les yeux. »
Fatima banda les yeux de Pépé le Gangster et de ses voleurs,
et leur fit passer la porte pour les conduire…

… directement dans le fourgon de la police !
C'est ainsi que Couscous, le roi du déguisement,
captura la bande de Pépé le Gangster.
Ma foi, ce policier est un malin !

Toutes sortes de véhicules

Le taxi vous emmène rapidement où vous voulez.

Cette vieille Ford T est appréciée des collectionneurs.

Les voitures de police patrouillent dans les rues.

La voiture du colonel des sapeurs-pompiers fait entendre sa sirène. Pinpon pinpon !

Voilà une ancienne fourgonnette, avec des portes en bois.

La voiture de sport est petite, mais très rapide.

La dépanneuse tire la voiture cabossée jusqu'au garage.

La Jeep est tout-terrain.
Elle peut rouler dans
la boue ou le sable.

Le camion-benne soulève
sa benne pour livrer du sable.

Ce camion-citerne
transporte de l'essence
pour les stations-service.

Cette voiture de course roule
sur les circuits. Elle fait
un bruit terrible !

Tôt ou tard, les voitures
finissent comme celle-ci.

Ce minibus conduit
les enfants
du centre aéré.

Est-ce ici la maison de Madame Souris?

Voici la maison de Monsieur
Souris. Il habite tout seul
et s'ennuie. Un jour, il reçoit
une lettre de Madame Souris.
« Cher Monsieur Souris, je suis
très seule moi aussi. Voudriez-
vous me rendre visite?
Douces bises, Madame Souris. »

M. Souris

Monsieur
Souris

Monsieur Souris se dit : « J'aimerais beaucoup lui rendre visite, mais je ne sais pas où elle habite. Je vais prendre ma petite voiture et partir à sa recherche. »

« Voilà justement
une maison. C'est peut-être
la maison de Madame Souris ? »

Monsieur Souris frappe à la porte et demande :
« Est-ce ici la maison de Madame Souris ? »
Mais il croit mourir de peur quand il réalise
que c'est la maison de...
Miiiiaou !

... la maison de Monsieur **Chat** !
« Quel charmant petit animal, pense Monsieur Chat
en regardant Monsieur Souris qui s'enfuit à toute allure
dans sa voiture. Je me demande ce qui lui a fait peur... »
Qu'en dis-tu ? Monsieur Souris a-t-il eu raison de ne pas
rentrer dans cette maison ?

Bientôt, il arrive près d'une belle grange rouge.
Il frappe à la porte. « Est-ce ici la maison
de Madame Souris ? » Non, c'est la maison de…
Cot cot cot codec !

... la maison de Madame **Poule** et de ses poussins !
« Ne me dérangez pas, dit-elle, j'apprends à mes petits
à gratter le sol. »

Comment gratter

Monsieur Souris poursuit sa route jusqu'à
un majestueux château. Il frappe à la porte.
« Est-ce ici la maison de Madame Souris ? »
Non, cette fois, c'est le château de…
Rrrroooaaaar !!!

… le château de
Monsieur **Lion**!!!

Il est de très
mauvaise humeur
ce matin à cause
d'une rage de dents.
Monsieur Souris
se sauve aussi vite
qu'il le peut.

Il arrive enfin devant une mignonne
petite maison de village. Il frappe
à la petite porte jaune.
« Est-ce ici la maison de Madame Souris ? »
La porte s'ouvre lentement.

Mais oui ! C'est bien la maison
de Madame Souris ! Ils sont
très heureux de se voir…
« Voudriez-vous m'épouser ?
demande Monsieur Souris.
Nous ne serions plus jamais seuls !
– Quelle bonne idée ! » se réjouit
Madame Souris.

Quelques jours plus tard, la Taupe les marie.
Monsieur Souris offre à sa femme un magnifique
anneau surmonté d'un diamant.

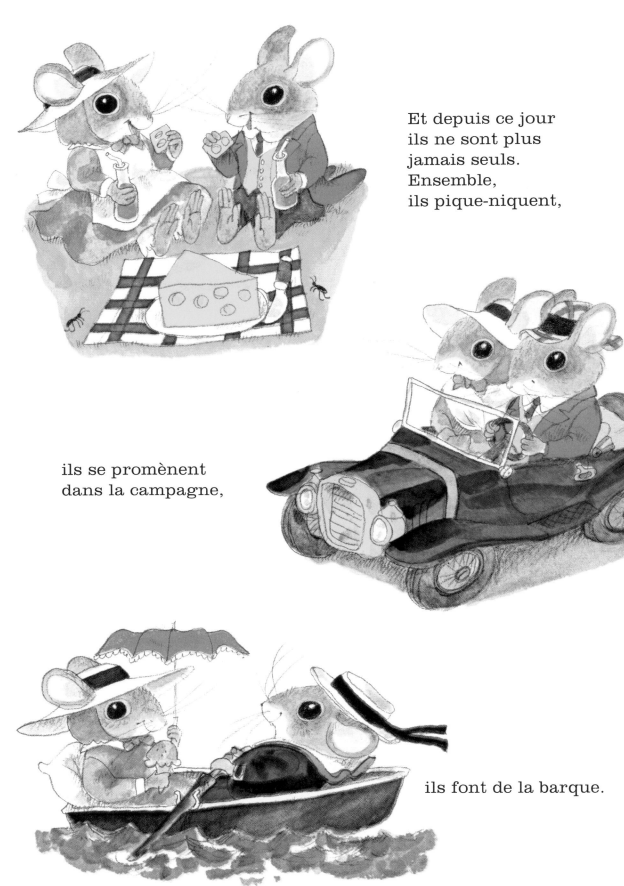

Et depuis ce jour
ils ne sont plus
jamais seuls.
Ensemble,
ils pique-niquent,

ils se promènent
dans la campagne,

ils font de la barque.

Un soir, après le dîner, ils entendent un
bruit. Une sorte de « couic couic couic ! »
qui vient de la chambre à coucher.
Qu'est-ce qui peut couiner ainsi à ton avis ?

Un **bébé** !
Un bébé qui veut son bisou de la nuit.
« Bonne nuit, Papa Souris ! »
« Bonne nuit, Maman Souris ! »
« Bonne nuit, Bébé Souris ! »

Les couleurs

Cette couleur est **le jaune**.

Les poussins sont jaunes,
tout comme les jonquilles.

99

Cette couleur
est **le bleu**.

Le costume de marin
de Lapin est bleu.

Le ciel est bleu.

Cette couleur est **le rouge**.

La pomme est rouge.

Ce tricycle est rouge.

Le mélange du bleu et du jaune donne **le vert**.

La grenouille est verte.

En été, les feuilles
sont vertes.

Le mélange du rouge et
du jaune donne **l'orange**.

La carotte de Lapin
est orange.

Le potiron aussi
est orange.

Le mélange du bleu et
du rouge donne **le violet**.

Les violettes et cette pensée
sont violettes.

La grappe
de raisin
et les prunes
sont violettes.

Cette couleur est **le marron**.

Le mélange du jaune, du bleu,
du rouge et du noir donne du marron.

Le pelage de Popy le chiot
est marron.

Le pelage de ce poney
est également marron.

Le mélange du rouge et
du blanc donne **le rose**.

Ces roses et le nez de Lapin
sont roses.

Les porcelets sont roses.

Voici **le blanc**.

Le bonhomme de neige est blanc,
comme les plumes de l'oie.

Voici **le noir**.

C'est la nuit noire pour
ces oursons au pelage noir.

Rouge,

jaune,

bleu,

vert...

le perroquet est de toutes les couleurs !

Quelle est ta couleur préférée ?

Tom va pêcher

Tom le chat s'en va pêcher.

Il attrape un petit poisson.

Il attrape un poisson plus gros.

Hé ! Voilà un très très
gros poisson.

Attention,
Tom !

Et maintenant, qui est à l'eau ?

Pierre, le policier parisien

Pierre faisait la circulation, quand il entendit des cris :
« Au voleur ! Au voleur ! »
Un voleur venait de dérober un collier dans la devanture d'une bijouterie. Il traversait la place à toute allure pour rejoindre sa voiture.

Pierre sauta sur sa bicyclette
et se lança à la poursuite du
voleur en sifflant de toutes
ses forces. Trrrrrrriiiiiii !
Ils firent la course dans
les rues embouteillées.

AVENUE DES VOLEUR

Soudain, la voiture
du voleur s'écrasa
contre un lampadaire.
Le voleur s'engouffra
dans un restaurant.
Trrrrrrriiiiiiii !

Pierre continua
la poursuite...
Trrrrrrrriiiiiiii !

… jusque dans les cuisines
du restaurant !
« Où est le voleur ? »
demanda-t-il.
Mais le chef ne l'avait pas
vu passer.

Pauvre Pierre !
Il avait perdu le voleur.
« Miam, cette soupe
a l'air délicieuse. Est-ce
que je peux la goûter ? »
demanda-t-il.

Mais regardez ce qu'il
y trouva ? Le voleur,
qui s'était caché là !
Avant que Pierre
amène le voleur
au poste de police,
ils goûtèrent tous
la soupe.

« C'est la meilleure soupe que j'aie jamais faite,
dit le chef au voleur. Que diriez-vous de revenir
m'aider à faire ma soupe
quand vous serez
sorti de prison ?
Nous pourrions
l'appeler
la Soupe
du voleur. »
Tout le monde
déclara que
c'était une
excellente idée !

L'éléphant poli

Qui n'apprécie pas l'éléphant poli ?
Il fait toujours ce qu'il faut comme il faut.
Quand il attend le bus, il se range dans
la queue sans donner de coups de pied.

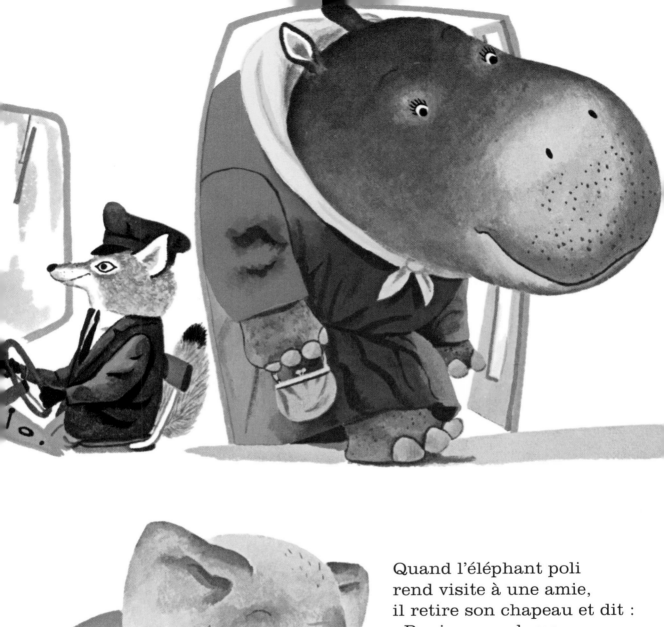

Quand l'éléphant poli
rend visite à une amie,
il retire son chapeau et dit :
« Bonjour, madame,
comment allez-vous ? »

Parfois, le bus est bondé, mais l'éléphant poli laisse toujours sa place aux dames.

L'écho des ours

C'est un invité charmant.
Il sait qu'on peut jouer
dans la chambre, mais
pas dans le salon.

A
C
P T E
X L
J D
H K N
U

Quand il est l'heure
de partir, l'éléphant
poli ne manque pas
de saluer ses amis.
« Merci, dit-il. Bonne
soirée ! »

Une fois rentré chez lui,
il se lave la figure
et les mains avant
de passer à table.

Il se tient bien droit sur sa chaise et
n'oublie jamais de dire « S'il vous plaît »,
puis « Merci ».

Si un ami lui rend visite,
il l'accueille à la porte.
« Bonjour ! Bienvenue
à la maison. »

L'éléphant poli présente
son ami à sa maman :
« Maman, voici Noé. »

Il aime s'amuser et n'hésite
pas à partager ses jouets.
Lui-même prend soin des
jouets qu'on lui prête.

Quand son ami s'en va,
il le raccompagne
à la porte en disant :
« Merci d'être venu ! »

Si vous croisez ce jeune
éléphant, il sera poli avec
vous de la même façon.
Il retirera son chapeau et
dira : « Comment allez-vous ? »

En avant la musique !

Le chef dirige son orchestre avec une baguette.
Les musiciens suivent le rythme avec entrain.
Instruments à cordes, instruments à vent, percussions : de quel instrument aimerais-tu jouer ?

une contrebasse

un violoncelle

un basson

un hautbois

une clarinette

un piccolo

une baguette

un violon

une flûte traversière

le chef d'orchestre

un piano

un podium

132

des cymbales

un triangle

un tambour

une grosse caisse

une trompette

un tuba

un cor

un tambourin

un cornet
à pistons

un trombone

une guitare

une harpe

un peigne
et du papier
de soie

un harmonica

L'anniversaire de Petit Écureuil

C'est l'anniversaire de Petit Écureuil.
Il a invité des copains à sa fête.
Les voilà qui arrivent !

« Bonjour, Jeannot ! Hello, Souriceau !
Salut, Chèvre et Âne ! Bienvenue,
Grenouillette ! »

« Une petite minute, dit Maman Écureuil,
il n'y aura pas de goûter d'anniversaire
avant que tes oreilles soient propres ! »
Crois-tu qu'il va falloir aussi nettoyer
les grandes oreilles de Jeannot ?

Petit Écureuil et Souriceau aident Maman
Écureuil à préparer le goûter. Un anniversaire,
c'est toujours beaucoup de travail pour les
mamans ! Mais, Souriceau, que fais-tu ? Ne peux-
tu pas attendre que la fête commence ?

Tous les enfants sortent jouer dehors. Petit
Écureuil et Jeannot vont faire un tour de bateau.
Ils mettent des gilets de sauvetage. On ne sait
jamais, s'ils tombaient à l'eau !...

Petit Écureuil attrape les papillons
dans son filet. Mais ce qui l'amuse
le plus, c'est de courir après !

Tout le monde se retrouve
pour jouer à saute-mouton.

Et pour finir, on organise une grande partie
de cache-cache. Petit Écureuil trouvera-t-il
Souriceau? Et toi, sais-tu où il se cache?

141

Youpi ! C'est l'heure du goûter, avec des glaces,
de la limonade et des chapeaux rigolos !
Grenouillette joue un morceau de hautbois.

Souriceau offre un bouquet à Maman Écureuil
pour la remercier d'avoir organisé cette belle
fête d'anniversaire.
Quelle charmante journée !

Une belle surprise

Si j'écris une lettre

et que
je l'envoie

à quelqu'un
que j'aime,

peut-être cette personne m'écrira-t-elle une lettre !

Un chiot charmant

Quand il croise un ami, le chiot charmant demande : « Wou wou, comment allez-vous ? »

Il ouvre la porte aux dames.

Quand on lui offre un cadeau, il dit : « Wou wou, merci beaucoup ! »

Il dit toujours « Wou wou, s'il vous plaît ! » quand il demande quelque chose.
Et quand il mange...

... Oh ! Quel vilain chiot ! Il oublie alors ses bonnes manières. Dis-moi, toi, tu ne t'assieds pas dans ton assiette quand tu manges ?

Souris des villes, souris des champs

une fable racontée
par Patricia Scarry

Annie la souris vivait à la campagne
dans une petite maison au creux d'un arbre.
Un jour, elle reçoit la visite de son amie des villes.
« Chère Mélissa, bienvenue à la campagne ! »

Annie invite quelques amies à se joindre au déjeuner.
Mais, quelle surprise, Mélissa ne veut pas y toucher !
« En ville, nous ne mangeons que des gâteaux ! »
dit fièrement la souris citadine.

« En ville, j'ai aussi
un tourne-disque
pour écouter
de la musique, et
je danse sur mon
tapis de velours ! »

« Oh, Annie ! Quittons cette campagne
ennuyeuse, et viens en ville avec moi !
– Mon dieu, c'est tentant… » murmure Annie.

En voiture ! Mélissa emmène Annie en ville.
Vroum vroum ! Tûûût tûûût ! Hiiii !
« Conduis doucement ! supplie Annie.
– Qu'est-ce que tu dis ? demande Mélissa. On s'amuse, non ? »

La maison de Mélissa est immense et c'est amusant
de la visiter de long en large. Mais soudain, **OUAF** !
une grosse voix résonne dans le couloir.
« Attention au chien ! » crie Mélissa.
Les deux amies s'enfuient à toute allure.

Elles passent la porte de la salle à manger juste
à temps. La petite souris des champs est encore
tremblante de peur, mais Mélissa dit :
« Oh, il me court après tout le temps ! Viens, montons
sur la table. As-tu déjà vu autant de nourriture ?

– Jamais ! » s'exclame Annie, stupéfaite.
Il y a là du fromage, des fruits, des légumes.
Et même du vin dans les verres !
« Oh ! Au secours ! couine Annie. Je crois
voir un chat !

« C'est bien un chat ! crie Mélissa. Cours ! Cours ! »
Elles passent la porte du salon juste à temps.
« Oh ! gémit Annie. Je n'ai jamais eu si peur !
– Quelle bêtise ! On s'y habitue, tu sais !
dit Mélissa. Veux-tu que je mette de la musique ?
On peut danser et s'amuser…

– Non merci, répond Annie en se mettant à courir.
– Où vas-tu, Annie ? demande Mélissa.
– Je rentre chez moi ! Au revoir, Mélissa,
fais attention à toi ! »

La petite souris court loin de la ville. Elle court, court, court. Elle ne s'arrête que lorsqu'elle est au milieu des champs et des arbres.

Le soir, elle raconte à ses amies sa journée et dit
enfin : « Mieux vaut une vie simple mais paisible
qu'une vie pleine de richesses et de peurs ! »

Bébé Lapin deviendra grand

de Patricia Scarry

Papa Lapin fit voler son bébé dans les airs.
« Que fera-t-il quand il sera grand ? » demanda-t-il.

Bébé Lapin, assis dans son panier,
souriait à sa famille. Il savait déjà
ce qu'il voulait faire !

« Peut-être sera-t-il facteur ?
Un gentil petit facteur qui
apportera des lettres dans
chaque maison et rendra
les gens heureux », se disait
Papa Lapin.

Cousin Lapin, qui était très
gourmand, aurait bien voulu
que Bébé Lapin ouvre une
confiserie.
« Il vendrait des sucettes
rigolotes et les distribuerait à
tous les enfants », rêvait-il
tout haut.

Grand-Oncle Lapin voulait qu'il devienne
conducteur de train.
« Il fera sonner sa cloche au moment
du départ, ting ting! Et fera retentir
la trompe dans les tunnels, touuut! »

Mais Bébé Lapin ne voulait pas devenir
facteur, marchand de bonbons ou conducteur
de train. Il grignotait une carotte d'un air
très sérieux. Il savait bien, lui,
ce qu'il voulait faire quand il serait grand.

« Je crois que notre bébé sera pilote d'avion, dit Grande Sœur Lapin. Il s'envolera dans les airs et sautera en parachute rien que pour s'amuser ! »

« À mon avis, il sera plutôt pompier, répondit Grand-Tante Lapin. Il ira éteindre les incendies avec son camion et sa grande échelle.

« Ce bébé deviendra fermier et conduira un magnifique tracteur rouge », assura Oncle Lapin.

Mais Bébé Lapin ne voulait pas devenir pilote
d'avion, pompier ou fermier.
Il sautait sur les genoux de son papa en riant
aux éclats. Le sais-tu, toi, ce qu'il voulait
faire quand il serait grand ?

Bébé Lapin voulait être un papa lapin, avec plein
de bébés lapins. Il jouerait avec eux, leur offrirait
des cadeaux à leur anniversaire et leur lirait
des histoires avant qu'ils aillent dormir.
Voilà ce qu'il voulait devenir quand il serait grand.
Un papa lapin, tout simplement.

Tom le remorqueur

Tom le remorqueur tirait
un gros bateau dans le port.

Soudain, il entendit un appel
à l'aide.

Était-ce un voilier en train
de couler ? Non !

Était-ce un cargo coupé
en deux ? Non plus !

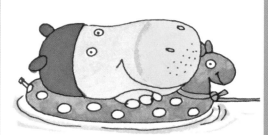

C'était la grosse Hilda,
l'hippopotame,
partie trop loin avec sa bouée.

Elle est assez grande pour
ne pas faire ce genre de bêtise,
ne crois-tu pas ?

Bonne chance à Rome

Federico et Maria visitent Rome pour la première
fois. On leur a parlé d'une fontaine miraculeuse
qui porte chance à ceux qui jettent une pièce dans l'eau.
Federico s'arrête pour demander à deux carabiniers
où se trouve cette fontaine.
Mais, par malheur…

… la voiture de Federico redémarre sans lui !
Maria ne sait pas comment l'arrêter !
« Suivez cette voiture ! » crie Federico en sautant dans un taxi.

« Au secours !
Au secours ! »
s'époumonne Maria.

La petite voiture déboule
sur la place Saint-Pierre.
Les gardes suisses, appelés
à la rescousse, arrivent
trop tard.

Maria et la voiture
dévalent les marches
menant à la place
d'Espagne.
La voiture finit
par s'arrêter enfin...

174

... dans la fontaine que Federico cherchait !

« Vous aurez sûrement beaucoup de chance, disent les carabiniers à Federico. La plupart des gens ont de la chance en ne jetant qu'une petite pièce dans l'eau. Mais vous, vous y avez jeté votre voiture ! Vous aurez sûrement beaucoup de chance ! »

As-tu vu mon œuf?

Un matin, dans le grenier de la grange, Maman Poule couve son œuf nichée au sommet d'une meule de paille. Par mégarde, l'œuf dévale la meule, traverse le plancher et tombe à l'étage du dessous.

« Oh non ! j'espère ne pas l'avoir perdu ! » crie Maman Poule.

Elle se précipite dans l'escalier.

« As-tu vu mon œuf ? demande Maman Poule au bouc.

– Oui, je l'ai vu. Il est tombé dans ma crème glacée, puis a rebondi par la fenêtre », répond le bouc.

Maman Poule se rue vers la fenêtre.

« As-tu vu mon œuf ? demande-t-elle à l'oiseau.
– Oui, je l'ai vu. Il a glissé dans la gouttière,
puis est tombé dans le tuyau », répond le petit oiseau.
Maman Poule s'élance au-dehors, à l'endroit
où le cochon est assis.

« As-tu vu mon œuf ? Je l'ai
perdu.
– Ton œuf m'est tombé sur la
tête, a roulé sur mon dos puis
sur ma queue en tire-bouchon,
pour enfin traverser la cour de
la ferme ! » répond le cochon.

Maman Poule se précipite dans
la cour de la ferme...
... et découvre son œuf qui finit
sa course dans un trou :
« MON ŒUF ! C'EST MON ŒUF ! »
hurle-t-elle.

Soudain apparaît une petite souris.
« Maman Poule, dit la souris, j'ai trouvé
ton œuf, mais quelque chose est arrivé !
Il s'est brisé en mille morceaux.
MAIS... si tu regardes bien... tu verras...
ton poussin ! Un adorable poussin,
tout jaune et duveteux ! »

« Maman ! Ma maman ! » pépie Petit
Poussin, qui fait de Maman Poule
la plus heureuse des mamans.

Atchoumpa, le drôle d'Autrichien

Atchoumpa était un drôle de gars. Il n'était pas très ordonné. Au lieu de ranger ses affaires, il poussait son bazar dans un placard. Il y mettait son tuba et jetait ses vêtements et sa fourche avec.

Il lui arrivait d'y lancer aussi ses casseroles et son réchaud par erreur ! Évidemment, quand il cherchait quelque chose, il ne le trouvait pas…

Atchoumpa allait jouer du tuba pour le concert du samedi. Il mit deux jours avant de retrouver son instrument. Voilà, il était prêt à rejoindre le groupe.

Atchoumpa posa son tuba sur sa tête
et enfourcha son vélo à l'envers.
« Oh, Atchoumpa est vraiment un drôle
de gars, disaient les habitants de la ville
en le voyant passer. Que va-t-il bien
pouvoir faire au concert… »

Le concert était justement sur le
point de démarrer. « Et ein, et zwei,
et drei », indiqua le chef.

Atchoumpa souffla, mais aucun son
ne sortit de son tuba.
Il souffla encore plus fort, sans résultat.
Atchoumpa prit une profonde inspiration
et souffla de toutes ses forces...

Pooooooonnnnn !
« Ooooh ! Quel drôle
de gars, cet Atchoumpa ! »
dirent les spectateurs
en riant.

183

Tous les mois de l'année

de Patricia Scarry

JANVIER

Janvier est le mois des glissades.
Sur la glace, on chausse les patins ; sur la neige,
on met des skis ou on enfourche sa luge et zioooouuu !
À la fin d'une journée d'hiver, on retire ses moufles
pour déguster un bon chocolat chaud.
N'hésite pas à donner des graines aux oiseaux :
ils ont faim et froid eux aussi !

F·É·V·R·I·E·R

Février est le plus court des mois.
Juste 28 jours pour jouer. Certains sont ensoleillés,
mais beaucoup sont froids et nuageux.
Et toutes les quatre années, une journée
vient s'ajouter à ce drôle de mois de février.
Le 14 février, on fête la Saint-Valentin en postant
une lettre pour son amoureux.

M · A · R · S

Mars est souvent boueux et venteux.
Les bons jours, on sort les cerfs-volants,
les rollers ou les trottinettes. Mais attention
aux giboulées, pense à mettre ton bonnet !
L'ours se réveille de son long sommeil et chantonne
une chanson pour faire venir le printemps.

A·V·R·I·L

Avril est un mois rigolo.
Il commence par une blague !
C'est un mois difficile pendant lequel il ne faut pas
se découvrir d'un fil ! Le matin, il fait chaud,
l'après-midi, glacial… Si tu enlèves tes bottes,
tu peux être sûr qu'il va pleuvoir ! C'est aussi
en avril que les œufs de Pâques tombent du ciel.

MAI

En mai, enfin on peut jouer dehors !
Le printemps est bien là et le monde entier est couvert
de fleurs : muguet parfumé, primevères multicolores,
myosotis et boutons-d'or. Et partout on entend le doux
bourdonnement des abeilles qui butinent.
Tout le monde est plein d'énergie, on dévale la colline
en courant ou on dispute une partie de base-ball !

J·U·I·N

En juin, l'école touche à sa fin… Et on a envie de jouer,
jouer, jouer ! Le 21, l'été commence, c'est officiel et
le soleil monte haut dans le ciel. Allongé dans l'herbe,
on entend les abeilles bzzzbzzz, les oiseaux trililili,
les petits scarabées qui travaillent.
Juin brille et tintinnabule. L'eau attire les doigts
de pied et les plus courageux n'hésitent pas à plonger !

JUILLET

Juillet commence en fanfare, boum boum !
Le tambour rythme les défilés joyeux. On lève haut
les drapeaux et on danse dans la nuit sous les lampions.
Le temps est venu de manger des glaces et des sorbets
en regardant les étoiles. Et si une étoile filante
traverse le ciel, n'oublie pas de faire un vœu.

A·O·Û·T

Août est chaud et paresseux.
On profite de la fin des vacances en se levant tard.
On part en randonnée, et quand on a bien marché,
on pique-nique comme des rois assis dans l'herbe
des prés. Mmmm… quel délice !
Les guêpes et les fourmis ne sont pas invitées,
mais en profitent aussi.

SEPTEMBRE

Septembre sonne la rentrée. On retourne à l'école
pour une nouvelle année pleine de découvertes.
L'automne démarre le 22 ou le 23, au milieu
des cahiers. Dehors, les pommes rougissent, les raisins
mûrissent et les noisettes tombent des noisetiers.
Un peu de vent, un peu de pluie, il est temps
de ressortir vestes et parapluies.

O·C·T·O·B·R·E

Octobre est orange, rouge et marron.
Les feuilles tombent des arbres en tourbillonnant
et font sur le sol un tapis craquant.
Quel plaisir de donner des coups de pied dedans !
Les jours raccourcissent et il fait bon rester
au chaud. À la fin du mois, les sorcières,
les vampires et les fantômes viennent réclamer
des bonbons dans les maisons.

N·O·V·E·M·B·R·E

Novembre sent la fumée. Elle sort des cheminées
qu'on vient de ramoner. Au coin du feu, on peut
se régaler de tous les fruits et légumes ramassés :
les pommes et les poires, le raisin, les amandes,
les citrouilles et les potirons… L'ours, le hérisson,
la marmotte vont se coucher pour l'hiver.

DÉCEMBRE

Décembre est un mois d'attente et d'espoir. Un mois pour préparer avec soin les décorations du sapin. Car le 24 décembre, le Père Noël, chaque année, descend par la cheminée! Il dépose plein de cadeaux dans les souliers. Joyeux Noël et bonne année!

Du même auteur

chez Albin Michel Jeunesse

Le Grand Livre des mots

Le Grand Livre à compter de 1 à 100

Le Grand Livre de l'école

Le Grand Livre des transports

Le Noël des animaux

Le plus Grand Livre du monde !

Le Livre des lapins

As-tu vu mon œuf ?

Animaux

Je suis un lapin

La Petite Bibliothèque de Richard Scarry :

Bébé Lapin deviendra grand

Les Bêtises de Lapinou - Bonne nuit, petit Ours

La Surprise d'Oscar - Canard et ses amis